DATE DUE

Collection dirigée par Philippe Nessmann

Iconographie : Anna Blum
Maquette : Studio Mango

© 2004 Mango Jeunesse
Loi n°49-956 du 16 juillet 1949
sur les publications destinées à la jeunesse
Dépôt légal : février 2004
Imprimé en France par
PPO Graphic, 93500 Pantin
M06130 - octobre 2006

Kézako ?

Les cinq sens

Textes de Charles Dingersheim
Illustrations de Peter Allen

MANGO *JEUNESSE*

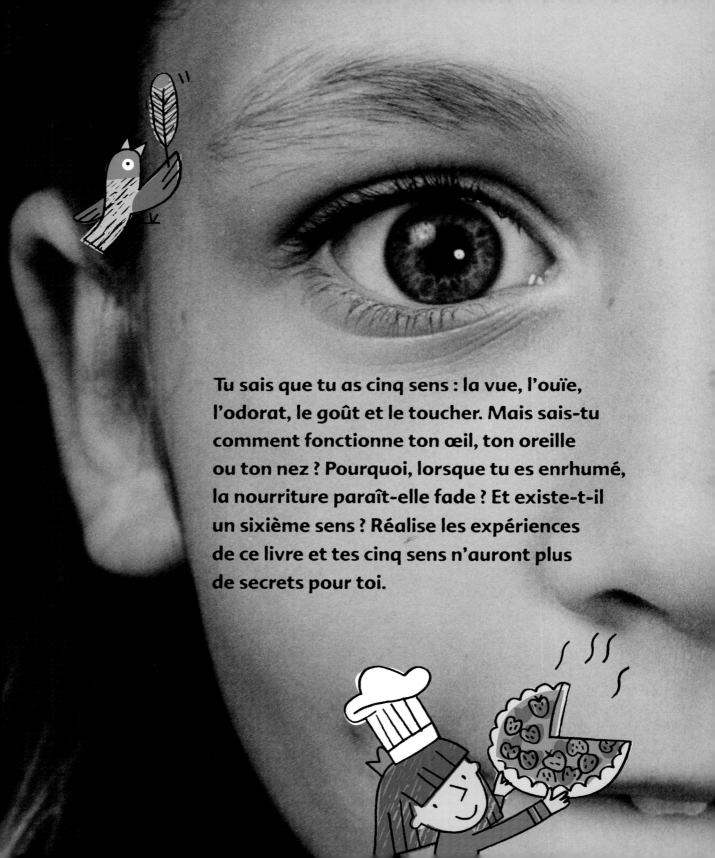

Tu sais que tu as cinq sens : la vue, l'ouïe, l'odorat, le goût et le toucher. Mais sais-tu comment fonctionne ton œil, ton oreille ou ton nez ? Pourquoi, lorsque tu es enrhumé, la nourriture paraît-elle fade ? Et existe-t-il un sixième sens ? Réalise les expériences de ce livre et tes cinq sens n'auront plus de secrets pour toi.

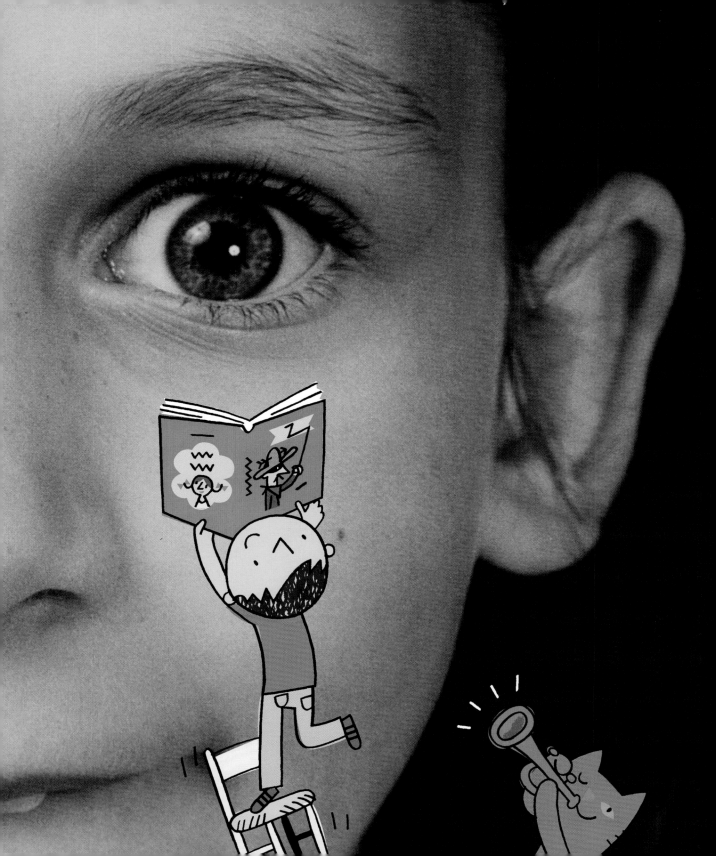

LES SENS, POUR QUOI FAIRE ?

Dans un marché,
il y a du bruit et plein
de couleurs. On peut toucher
les pêches pour savoir si elles
sont mûres, sentir
les abricots et goûter
un grain de raisin...
C'est la fête des sens !

Il te faut :
- trois ou quatre copains
- une chaise
- un foulard

1 Assieds-toi sur la chaise. Le but du jeu est de reconnaître tes copains. Normalement, tu le fais en les regardant ! Pour compliquer le jeu, mets un bandeau sur tes yeux.

2 L'un après l'autre, tes copains viennent devant toi et parlent. Peux-tu dire leur prénom à leur voix ?

karim ?

bla bla

3 Maintenant, tes copains restent silencieux. Tu dois les reconnaître en touchant leur visage.

?

4 Et si tu ne pouvais plus ni voir, ni entendre, ni toucher tes copains, comment les reconnaîtrais-tu ?

Un 6ᵉ sens ?
Vue, ouïe, odorat, goût et toucher sont les cinq sens les plus connus. Mais il en existe d'autres : la proprioception nous permet de garder notre équilibre. Les baleines, elles, posséderaient un sens magnétique, utilisé comme une boussole pour se diriger.

Pour connaître le monde qui nous entoure, nous avons nos cinq sens. Nos yeux, nos oreilles, nos mains, notre nez et notre langue récoltent des informations. Elles sont ensuite envoyées jusqu'au cerveau par des nerfs. Certains sens sont plus développés que d'autres : chez l'homme, la vue est très importante et le goût peu développé. Chez certaines personnes, l'un des sens fonctionne mal. Heureusement, il lui reste les autres ! Un aveugle découvrira le monde en l'écoutant, en le touchant ou en le sentant.

MON ŒIL !

Pour lire, regarder avant de traverser
la route ou chercher une épingle par terre,
une bonne vue est très pratique.
Chez l'homme,
c'est le sens
le plus utilisé.
Regardons
comment
un œil
fonctionne !

Il te faut :
- une boîte de céréales vide
- du papier calque
- des ciseaux pointus
- du ruban adhésif
- un téléviseur

1 Avec les ciseaux, découpe une ouverture sur l'avant de la boîte. Elle doit être un peu plus petite que le calque.

2 Scotche le calque sur l'ouverture.

3 De l'autre côté de la boîte, perce un petit trou rond avec la pointe des ciseaux.

4 Dans une pièce noire, allume le téléviseur. Approche le petit trou de l'écran et regarde le calque. Vois-tu apparaître l'image ?

Que suis-je ?
Dans une loupe, je suis en verre et sers à grossir l'image. Je suis le haricot, la lentille ou la patate ?

La lentille. Notre œil aussi possède une lentille : le cristallin. En se déformant, il permet de voir net de près ou de loin. Parfois, il fonctionne mal. Pour corriger ce défaut, il faut porter d'autres lentilles : des lunettes ou des lentilles de contact.

L'image de la télé apparaît sur le calque… à l'envers ! Nos yeux fonctionnent un peu comme cette boîte. À l'avant, il y a un trou, la pupille. Au fond, il y a une sorte d'écran, la rétine. Lorsque tu regardes une lampe, **sa lumière passe à travers la pupille et se projette sur la rétine. Au fond de ton œil, l'image de** la lampe se forme à l'envers, comme avec ta boîte. Mais ce n'est pas grave : lorsque ton cerveau reçoit l'information, il la remet à l'endroit.

pupille → cristallin → rétine

AU FOND D'UNE OREILLE

Sans oreilles, impossible d'écouter ce musicien jouer, d'entendre le téléphone sonner ou de savoir ce que tes copains racontent. La vie ressemblerait à un vieux film muet !

Construis une oreille !

1 Pose un morceau de film plastique au bout du rouleau de papier WC. Tends-le bien et scotche-le solidement en faisant plusieurs tours.

Il te faut :
- du film alimentaire
- un rouleau de papier WC vide
- du ruban adhésif
- une lampe de poche

2 Mets une table contre un mur. Pose le rouleau au bord de la table, pour que le film soit face au mur.

3 Place la lampe de poche contre le mur. Sa lumière doit éclairer le film puis se réfléchir sur le mur.

4 Dans le bout creux du rouleau, dis assez fort « papapapa » ou autre chose. En même temps, regarde la tache de lumière réfléchie sur le mur. La vois-tu vibrer quand tu parles ?

Le sais-tu ?
La partie extérieure de l'oreille s'appelle le pavillon. Elle sert d'entonnoir pour diriger les sons vers l'intérieur.
De nombreux animaux, comme les renards, peuvent la faire bouger pour mieux écouter le bruit d'un insecte ou d'une souris.

« Papapapa » : la tache de lumière bouge ! Quand tu parles, cela fait vibrer l'air. C'est comme si un mini courant d'air sortait de ta bouche. Lorsqu'il arrive au fond du rouleau, il cogne contre le film plastique et le fait bouger. Tu peux le vérifier grâce au reflet sur le mur. Ton oreille ressemble à ça ! Au fond, il y une fine peau tendue, le « tympan ». Lorsqu'on te parle, elle vibre. Cette information est alors transmise à ton cerveau, qui reconstitue le son : « Papapapa ! »

tympan

TOUCHE À TOUT !

Le toucher te permet de trouver un interrupteur dans le noir et d'ôter la main d'une casserole brûlante. Il permet aussi aux aveugles de lire. Chaque lettre est représentée par de petites bosses sur le papier. L'aveugle les reconnaît en passant dessus le bout des doigts.

Teste la sensibilité d'un copain !

Il te faut :
- 4 crayons bien taillés
- une règle plate
- du ruban adhésif

1 À un bout de la règle, scotche deux crayons écartés de 5 centimètres et dont le bout taillé dépasse de la règle.

2 À l'autre bout de la règle, scotche les deux autres crayons, écartés de 2 centimètres.

3 Ton copain remonte sa manche et ferme les yeux. Appuie en haut de son bras, les deux crayons les plus écartés. Demande-lui combien il sent de pointes ?

4 Appuie au même endroit les deux crayons peu écartés. Combien sent-il de pointes ?

5 Recommence l'expérience en appuyant les crayons sur l'intérieur du doigt. Combien sent-il de pointes ?

Le haut du bras sent les deux pointes seulement lorsqu'elles sont très écartées. Le doigt, lui, sent les pointes rapprochées. Sous notre peau, il y a des nerfs qui reçoivent les informations du toucher et les envoient au cerveau. Ces nerfs sont très nombreux dans les doigts et peu nombreux dans le bras. Le doigt est donc plus sensible que le bras. C'est pourquoi il fait mieux la différence entre deux pointes.

À ton avis ?
Comment s'appelle l'alphabet des aveugles ?

L'alphabet braille. Il a été inventé au XIXe siècle par un aveugle français, Louis Braille.

SUR LE BOUT DE LA LANGUE

Grâce à ta langue,
tu reconnais le goût de ce
que tu manges : le goût
sucré d'une pêche,
salé d'une chips,
amer d'une endive
cuite, ou acide
du citron.

Teste ta langue

Il te faut :
- trois cotons-tiges
- trois verres
- un miroir
- une cuillère à dessert
- du sucre, du sel, du vinaigre

1 Dans un verre, mélange un peu d'eau et une cuillerée de sel. Dans le deuxième, mélange un peu d'eau et une cuillerée de sucre.

2 Dans le troisième verre, verse un peu de vinaigre. Mets un coton-tige dans chaque verre.

3 Place-toi devant le miroir et tire la langue. Pose le coton-tige du vinaigre au milieu de ta langue. Sens-tu quelque chose ? Et si tu le poses au bout de ta langue ? Et sur les côtés ?

4 Recommence avec les cotons-tiges salé puis sucré.

À ton avis ?
Ta langue fait travailler deux des cinq sens. Lesquels ?

Le goût et le toucher. Le toucher est important : ta langue détecte si ce que tu manges est chaud ou froid, dur ou mou, et pousse les aliments pour que tu les mâches.

Au milieu de ta langue, tu ne sens presque aucun goût. Sur les côtés, oui. Ta langue est recouverte de milliers de papilles gustatives. Ce sont elles qui reconnaissent les quatre saveurs : le salé, le sucré, l'acide et l'amer. Mais elles ne sont pas réparties n'importe où : les papilles du salé et du sucré sont plutôt à l'avant de ta langue. Celles de l'acide, plutôt sur les côtés. Et celles de l'amer, tout à l'arrière : peut-être l'as-tu déjà ressenti en mangeant des endives cuites…

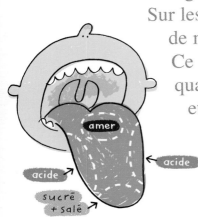

amer

acide

acide

sucré + salé

POIL AU NEZ !

Les fleurs, les parfums
et les poulets rôtis,
ça sent trop bon !
Pourquoi ? Regardons
ce qu'est une odeur
et comment fonctionne
un nez !

Découvre l'origine des odeurs

Il te faut :
- du sirop
- trois verres
- un réfrigérateur

1 Dans un verre, verse du sirop puis de l'eau. Répartis ce sirop entre les trois verres.

15 minutes →

2 Mets l'un des verres dans le bac à glaçon du réfrigérateur pendant quinze minutes.

3 Demande à un adulte de chauffer le contenu du deuxième verre dans une casserole ou dans un four à micro-ondes.

4 Pose les trois verres sur une table. Mets ton nez sur le plus froid, puis sur le tiède, puis sur le chaud. Lequel sent le plus fort ? Et le moins fort ?

Vrai ou faux ?
L'essence sent bon.

Vrai... et faux ! Ça dépend pour qui. Tout le monde respire la même odeur. Mais comme nous sommes tous différents, certains l'adorent et d'autres la détestent. Les goûts, les couleurs et les odeurs, ça ne se discute pas !

Plus le sirop est chaud, plus il sent fort. Le sirop est formé de microscopiques grains de matière appelés molécules. Certains de ces grains s'envolent dans l'air et rentrent dans ton nez. Là, des petits cils les détectent et signalent leur présence à ton cerveau. Tiens, une odeur de sirop ! Pourquoi le sirop chaud sent-il plus fort ? Parce qu'avec la chaleur, les molécules sont plus agitées. Elles sont donc plus nombreuses à s'envoler et à arriver dans ton nez.

LES SENS MÉLANGÉS

Beurk, ça n'a pas l'air appétissant ! Ta langue n'est pas la seule à dire si un plat est bon. Il faut que tes yeux le trouvent beau et que ton nez aime son odeur. Tes sens fonctionnent tous ensemble.

1 Dans une assiette, coupe quatre petits cubes de radis, quatre de pomme de terre et quatre de carotte. Ils doivent avoir la même taille.

Il te faut :
- une pomme de terre crue
- une carotte crue
- des radis
- un couteau
- une assiette

2 Demande à ton copain de fermer les yeux et de se boucher le nez. Fais-lui goûter un cube de chacun légume. Reconnaît-il facilement le légume ?

À ton avis ?
Lorsque tu marches dans la rue, quels sont les deux sens que tu utilises le plus ?

3 Recommence le jeu, avec cette fois le nez débouché. Le légume est-il plus facile à reconnaître ?

La vue et l'ouïe. Pour te diriger, tu regardes devant toi. Mais les bruits qui viennent de derrière ou des côtés t'avertissent d'un danger : le moteur d'une voiture ou la sonnette d'un vélo.

4 Inversez les rôles : maintenant, c'est à toi de deviner…

Le nez bouché, difficile de reconnaître les légumes ! Ta langue ne suffit pas pour cela. Elle peut seulement dire si c'est sucré, salé, acide ou amer. Pour les reconnaître, tu as besoin de ton nez. Quand tu mâches et que tu respires en même temps, l'odeur de la carotte ou du radis monte dans ton nez. Tu la sens et ton cerveau la reconnaît. Tiens, de la pomme de terre ! C'est pourquoi, lorsque tu as le nez bouché à cause d'un rhume, la nourriture te semble très fade…

DEUX, C'EST MIEUX QU'UN !

Ce serpent à sonnette possède, de chaque côté de la tête, une fossette sensible à la chaleur de ses proies. Pourquoi en a-t-il deux ? Et toi, pourquoi as-tu deux yeux et deux oreilles ? Un seul œil ne suffirait-il pas ?

Il te faut :
- une paire de chaussettes
- deux foulards
- un copain

1 Tiens-toi debout à environ trois pas de ton copain. Il doit te lancer doucement la paire de chaussettes. Rattrape-la et lance-la-lui. Faites-le dix fois. Est-ce facile ?

2 Demande à ton copain de te bander un œil avec un foulard. À ton tour, bande-lui un œil avec l'autre foulard.

Une autre expérience
Tiens un dé à dix centimètres devant ton nez. Ferme un œil, puis l'autre. Les deux images sont-elles un peu différentes ? En ouvrant les deux yeux, tu vois le dé en relief.

3 Lancez-vous doucement la paire de chaussettes. Est-elle toujours aussi facile à rattraper ?

Avec un seul œil, difficile d'attraper les chaussettes ! Ton œil voit une image plate, sans relief. Tu as alors du mal à savoir si un objet est près ou loin. Avec les deux yeux, c'est mieux : l'œil droit envoie au cerveau une image un peu différente de celle de l'œil gauche. Ton cerveau mélange ces deux images et crée une image en relief. Tu vois alors bien les distances.
De même, tes deux oreilles te permettent de savoir si un bruit vient de gauche ou de droite. Et grâce à ses deux fossettes, le serpent à sonnette sait si la chaleur dégagée par une souris vient de gauche ou de droite. Il sait ainsi où chercher son repas !

ON S'HABITUE À TOUT !

Parfois quand tu rentres dans ton bain, tu le trouves un peu trop chaud ou un peu trop froid. Puis après quelques minutes, tu n'y fais plus attention. Ta peau s'y est habituée.

Trompe tes sens !

1 Vaporise du parfum sur une feuille de papier essuie-tout. Place la feuille dans ta chambre, avec la fenêtre et la porte fermées. Est-ce que ça sent ?

Il te faut :
- du parfum
- du papier essuie-tout
- une montre

2 Reste dans ta chambre avec la porte fermée pendant un quart d'heure. Est-ce que ça sent toujours autant ?

3 Sors de ta chambre et ferme la porte. Après un quart d'heure dehors, retourne dans la chambre. Est-ce que ça sent ?

Une illusion d'optique
Nos yeux aussi ont besoin de changement. Lorsque tu regardes fixement à un endroit, tu vois moins bien. Tu peux même voir des choses qui n'existent pas. Regarde fixement le point noir. Après quelques secondes, le brouillard gris remplira tout le cadre.

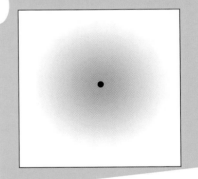

Quand tu restes longtemps dans la chambre parfumée, tu as l'impression que l'odeur disparaît. En réalité, elle est toujours aussi forte. Mais tu t'y es habitué et tu ne la sens presque plus. Il se passe la même chose avec les autres sens. Quand tu rentres dans une cantine, quel vacarme ! Après cinq minutes, tu ne le remarques même plus. Si notre cerveau devait faire attention à toutes les informations envoyées par nos sens, il serait débordé. Aussi, il enregistre surtout les changements : un changement de température, de lumière, de bruit ou d'odeur.

Et si, un jour...
il nous manquait un sens...

Hugo et Marine jouent aux petits chevaux, lorsque...
Taratraboumboum !
— Ah, le voisin, qu'est-ce qu'il est bruyant !
s'exclame Hugo. Je ne peux pas me concentrer sur
mon lancer de dé ! Parfois, j'aimerais être sourd !

— Dans mon immeuble, lui dit Marine, il y a un sourd.
— Oh ! le pauvre...
— Mais non, il n'est pas malheureux !
Il n'entend pas mais il voit très bien : quand je lui parle,
il lit sur mes lèvres. Et avec ses amis sourds,
ils discutent en faisant des signes avec les mains.
Chaque signe veut dire un mot.

— Et bien moi, j'ai un cousin aveugle, annonce Hugo.
Il ne voit pas mais qu'est-ce qu'il entend bien !
Quand je vais chez lui, il me reconnaît rien qu'au bruit
de mes pas. Et il est très intelligent : il lit beaucoup !
— Mais il ne voit pas... comment fait-il pour lire ?
— Ses livres sont en braille : chaque lettre
est faite de petites bosses. Il les lit en les
touchant du bout des doigts.

— Et tu crois qu'on peut perdre les autres sens ? s'interroge Marine.

— J'ai vu un film dans lequel un cuisinier perdait l'odorat. Il ne pouvait plus dire si ce qu'il cuisinait était bon ou mauvais. C'était embêtant.

— Pour mon chien Patouf aussi, ce serait très embêtant. Il aime bien renifler partout !

— Tu sais, la rassure Hugo, les animaux aussi savent se débrouiller quand il leur manque un sens. Les chauves-souris sont aveugles, mais elles entendent très bien : elles utilisent des bruits pour « voir » les objets. Les poissons, eux, entendent très mal, mais ils ressentent parfaitement les mouvements de l'eau autour d'eux. Tapote sur un bocal, et tu les verras réagir !

— Et les chevaux, demande Marine, est-ce qu'ils voient bien et entendent bien ?

Hugo est tout étonné :

— Les chevaux ? Je ne sais pas, je crois que oui. Pourquoi tu me demandes ça ?

Marine tape alors sur l'épaule d'Hugo :

— Parce que depuis cinq minutes, tes petits chevaux attendent que tu joues. Tu le lances, ton dé ?

Crédit photographique